U0101623

絶妙好詞箋卷三

弁陽老人周密原輯　宛平查爲仁　錢唐厲鶚　同箋

劉克莊

克莊字潛夫，號後村，莆田人。以蔭仕，淳祐中賜同進士出身，官至龍圖閣直學士。有《後村别調》一卷。

摸魚兒　海棠

甚春來、冷烟凄雨，朝朝遲了芳信。驀然作暖晴三日，又覺萬姝嬌困。天怎忍，潘令老、不成也没看花分？才情減盡。悵玉局飛仙，石湖絶筆，辜負這風韵。　傾城色，懊惱佳人薄命，墻頭岑寂誰問！東風日暮無聊賴，吹得燕支成粉。君細認，花共酒、古來二事天尤吝。年光去迅。漫緑葉成陰，青苔滿地，做取异時恨。

卜算子　海棠爲風雨所損

片片蝶衣輕，點點猩紅小。道是天工不惜花，百種千般巧。
朝見樹頭繁，暮見枝頭少。道是天工果惜花，雨洗風吹了。

清平樂　頃在維揚，陳師文參議家舞姬絶妙，爲賦此詞。

宮腰束素，只怕能輕舉。好築避風臺護取，莫遣驚鴻飛去。　一團香玉温柔，笑顰俱有風流。貪與蕭郎眉語，不知舞錯《伊州》。

生查子　燈夕戲陳敬叟

繁燈奪霽華，戲鼓侵明滅。物色舊時同，情味中年別。淺畫鏡中眉，深拜樓中月。人散市聲收，漸入愁時節。

花庵《絶妙詞選》云：陳以莊，名敬叟，號月溪，建安人。

劉後村《陳敬叟集序》云：敬叟詩才氣清拔，力量宏放。爲人曠達如列御寇、莊周，飲酒如阮嗣宗、李太白，筆札如谷子雲，草隸如張顛、李潮，樂府如温飛卿、韓致光。余每嘆其所長非復一事。爲穀城黄子厚之甥，故其詩酷似云。

《詞旨·警句》：貪與蕭郎眉語，不知舞錯《伊州》。（清平樂）

《瀛奎律髓》注：寶慶初，史彌遠廢立之際，錢唐書肆陳起宗之能詩，凡江湖詩人，俱與之善，刊《江湖集》以售，劉潛夫《南岳稿》與焉。宗之賦詩，有云『秋雨梧桐皇子府，春風楊柳相公橋』，本改劉屏山句也。或嫁『秋雨』、『春風』之句爲敖器之所作，言者并梅詩論列，劈《江湖集》板，二人皆坐罪。初，彌遠議下大理逮治，鄭丞相清之在瑣闥白彌遠，中輟，而宗之坐流配。於是詔禁士大夫作詩，如孫花翁之徒，改業爲長短句。紹定癸巳，彌遠死，詩禁解，潛夫爲《訪梅》絶句云：『夢得因桃却左遷，長源爲柳忤當權。幸然不識桃并李，也被梅花累十年。』此可備梅花大公案也。

吴潛

潛字毅夫，號履齋，寧國人。嘉定十年進士第一，淳祐中觀文殿大學士，封慶國公，改封許國公。景定初，安置循州，卒贈少師。有《履齋詩餘》三卷。

滿江紅 金陵烏衣園

柳帶榆錢，又還過、清明寒食。天一笑、滿園羅綺，滿城簫笛。花樹得晴紅欲染，遠山過雨青如滴。問江南、池館有誰來，江南客。　烏衣巷，今猶昔；烏衣事，今難覓。但年年燕子，晚烟斜日。抖擻一春塵土債，悲凉萬古英雄迹。且芳樽、隨分趁芳時，休虚擲。

《景定建康志》云：烏衣園，在城南二里烏衣巷之東，一堂扁曰『來燕』，歲久傾圮。咸淳元年，馬公光祖撤而新之，堂後植桂，亭曰『緑玉香中』；梅花彌望，堂曰『百花頭上』。其餘亭館，曰更屐，曰穎立，曰長春，曰望岑，曰挹華，曰更好。左右位置，森列佳花美木，芳蔭蔽虧，非復曩時寒烟衰草之陋矣！

南柯子

池水凝新碧，闌花駐老紅。有人獨倚畫橋東，手把一枝楊柳繫春風。　鵲伴游絲墜，蜂黏落蕊空。鞦韆庭院小簾櫳，多少閑情閑緒雨聲中。

《景定建康志》：　吴潛《雨花臺再用前韵·滿江紅》云：『瑪瑙岡頭，左釃酒、右持螯食。懷舊處、磨東冶劍，弄青溪笛。望裏尚嫌山是障，醉中要捲江無滴。這一堆、心事總成灰，蒼波客。嘆俯仰，成今昔；愁易攪，歡難覓。正平蕪遠樹，落霞殘日。自笑頻招猿鶴怨，相期蚤混漁樵迹。把是非、得失與榮枯，虛空擲！』

《開慶四明續志》：　吴潛《永遇樂·己未元夕》云：『祝告天公，放燈時節，且收今雨。萬户千門，六街三市，綻水晶雲母。香車寶馬，珠簾翠幕，不怕禁更敲五。霓裳曲、驚回好夢，誤游紫宫朱府。沉思舊日，京華風景，逗曉猶聽戲鼓。分鏡圓時，斷釵合處，倩笑歌與舞。如今閑院，蜂殘蛾褪，消夜果邊自語。虧人殺（去聲）、梅花紙帳，權將睡補。』《滿江紅·戊午二月十七日四明窗賦》云：『芳景無多，又還是、亂紅飛墜。空帳望、昭亭深處，家山桃李。柳眼花心都脱换，蜂鬚蝶翅難沾綴。謾相携、一笑競良辰，春醪美。金獸爇，香風細；金鳳拍，歌雲膩。盡秦簫燕管，但逢場爾。只恐思鄉情味惡，怎禁寒食清明裏？　問此翁、不止四宜休，翁歸未？』

《豹隱紀談》：　徐參政清叟微時，贈建寧妓唐玉詩云：『上國新行巧様花，一枝聊插鬢雲斜。嬌羞未肯從郎意，故把芳容故故遮。』吴履齋丞相和以《賀新郎》詞云：『可意人如玉，小簾櫳、輕匀淡抹，道家妝束。長恨春歸無尋處，全在波明黛緑。看冶葉、倡條渾俗。比似江梅清有韵，更臨風對月斜依竹。看不足，咏不足！　曲屏半掩春山簇，正輕寒、夜深花睡，半敧殘燭。縹緲九霞光裏夢，香在衣裳剩馥。又只恐、銅壺聲促。試問送人歸去後，對一奩花影垂金粟。腸易斷，恨難續！』

《至元嘉禾志》：　吴潛《水調歌頭·題烟雨樓》云：『有客抱幽獨，高立萬人頭。東湖千頃烟雨，占斷幾春秋？自有茂林修竹，不用買花沽酒，此樂若爲酬。秋到天空闊，浩氣與雲浮。嘆吾曹，緣五斗，尚遲留。練江亭下，長憶閑了釣魚舟。矧更飄摇身世，又更奔騰歲月，辛苦復何求？　咫尺桃源隔，他日擬重游。』

《齊東野語》：　朔齋劉震孫知宛陵，毅夫丞相方閑居，劉日陪午橋之游。後以召還，吴餞之郊外，劉賦《摸魚兒》詞爲別，末云：『怕緑野堂邊，劉郎去後，誰伴老裴度？』毅夫爲之揮泪。繼遣一价，追和此詞，并侑以小奩。啓之，精金百星也。前輩憐才賞音如此。

尹　焕

焕字惟曉，山陰人。嘉定十年進士，自畿漕除右司郎官。有《梅津集》。

霓裳中序第一　茉莉

青顰粲素靨，海國仙人偏耐熱。餐盡香風露屑，便萬里凌空，肯憑蓮葉。盈盈步月，悄似憐、輕去瑶闕。人何在？憶渠痴小，點點愛輕撧。　愁絶，舊游輕別，忍重看、鎖香金篋。凄涼今夜簟席，怕杳杳詩魂，真化風蝶。冷香清到骨，夢十里、梅花霽雪。歸來也、厭厭心事，自共素娥説。

《全芳備祖》云：素馨花舊名耶悉茗，一名野悉茗。昔劉鋹有侍女名素馨，冢上生此花，因以得名。尹梅津《霓裳中序第一》云云。

眼兒媚

垂楊裊裊蘸清漪，明緑染春絲。市橋繫馬，旗亭沽酒，無限相思。　雲梳雨洗風前舞，一好百般宜。不知爲甚，落花時節，都是顰眉。

唐多令　苕溪有牧之之感

蘋末轉清商，溪聲供夕涼。緩傳杯、催喚紅妝。慢綰烏雲新浴罷，裙拂地，水沉香。　歌短舊情長，重來驚鬢霜。悵緑陰、青子成雙。説著前歡佯不睬，颺蓮子，打鴛鴦。

《齊東野語》云：尹梅津未第時，薄游苕霅籍中，適有所盼。後十年，問訊舊游，則久爲宗子所據，且育子，而猶挂名籍中。於是假之郡將，久而始來。顔色瘁赧，不足膏沐，相對若不勝情。梅津爲賦《唐多令》云。

吴文英《夢窗甲稿·水龍吟·壽尹梅津》云：望春樓外滄波，舊年照眼青銅鏡。煉成寶月，飛來天上，銀河流影。紺玉鈎簾處，横犀麈、天香分鼎。記殿雲殿瑣，裁花剪露，曲江畔，春風勁。槐省，紅塵晝静，午朝回、吟生晚興。春霖綉筆，鶯邊清曉，金狨旋整。閬苑芝仙貌，生綃對、緑窗深景。弄瓊英數點，宫梅信早，占年光永。

趙以夫

以夫字用父，號虚齋，福之長樂人。嘉定中正奏名，歷知邵武軍、漳州，皆有治績。嘉熙初，爲樞密都承旨。二年，拜同知樞密院事。淳祐初罷，尋加資政殿學士，進吏部尚書兼侍讀，詔與劉克莊同纂修國史。

憶舊游慢　荷花

望紅蕖影裏，冉冉斜陽，十里沙平。唤起江湖夢，向沙鷗住處，細説前盟。水鄉六月無暑，寒玉散清冰。笑老去心情，也將醉眼，鎮爲花青。　亭亭，步明鏡，似月浸華清，人在秋庭。照夜銀河落，想粉香濕露，恩澤親承。十洲縹緲何許，風引彩舟行。尚憶得西施，餘情裊裊烟水汀。

《虚齋樂府·徵招·咏雪》云：玉壺凍裂琅玕折，駸駸逼人衣袂。暖絮張空飛，失前山横翠。欲低還起，似妝點、滿園春意。記憶當時，剡中情味，一溪雲水。天際，絶行人，高吟處、依稀灞橋鄉里。更剪剪梅花，落雲階月地。化工真解事，强句引、老來詩思。楚天暮，驛使不來，悵曲闌獨倚。

姚鏞

鏞字希聲，號雪篷，剡溪人。贛州守。有《雪篷集》一卷。

《剡録》云：姚鏞，嘉定十年吴潜榜進士。

謁金門

吟院静，遲日自行花影。熏透水沉雲滿鼎，晚妝窺露井。 飛絮游絲無定，誤了鶯鶯相等。欲喚海棠教睡醒，奈何春不肯。

羅 椅

椅字子遠，號澗谷。《**癸辛雜識**》云：羅椅，廬陵人，富家子。壯年捐金結客，後爲饒雙峰高弟，又以薦登賈師憲之門。丙辰第進士，以秉義郎爲江陵教，改潭教，及宰贛之信豐，遷提轄榷貨。度宗升遐，失於入臨論罷。

《**寶祐四年登科録**》：第二甲第三十八人羅椅，字子遠，小名天驥，第七十一永感下，年四十三，十二月十五日寅時生。外氏孫治賦四舉，娶劉氏；曾祖上達；祖維翰，宣政郎；父沂，宣義郎。本貫吉州廬陵縣化仁鄉，祖爲户。

柳梢青

尊緑華身，小桃花扇，安石榴裙。子野聞歌，周郎顧曲，曾惱夫君。 悠悠羈旅愁人，似零落、青天斷雲。何處銷魂？ 初三夜月，第四橋春。

《**詞旨·警句**》：何處銷魂？初三夜月，第四橋春。（柳梢青）

《**翰墨全書**》：羅椅《八聲甘州·孤山有感》云：『甚匆匆歲月，又人家插柳記清明。政南北高峰，風傳笑響，水泛簫聲。吹散樓臺烟雨，鶯語辞也春晴。何所無芳草？惟此青青。誰管孤山山下，任種梅月冷，薦菊泉清。看人情如此，沉醉不須醒。問何時、樊川歸去？嘆故鄉、七十五長亭。君知否？ 洞雲溪月，笑我飄零。』

方 岳

岳字巨山，號秋崖，祁門人。紹定五年進士，兩爲文學掌故，官中秘書，出守袁州。有《秋崖先生詞稿》。

江神子 牡丹

窗綃深掩護芳塵，翠眉顰，越精神。幾雨幾晴，做得這些春。切莫近前輕著語，題品錯，怕花嗔。　碧壺難貯玉粼粼，碎苔茵，晚風頻。吹得酒痕，如洗一番新。只恨謫仙渾懶事，辜負却，倚闌人。

《**秋崖詞稿·滿江紅·九日登冶城樓**》云：　且問黄花，陶令後、幾番重九？應解笑、秋崖人老，不堪詩酒。宇宙一舟吾倦矣，山河兩戒君知否？倚西風、無奈劍花寒，虬龍吼。江欲釂，談天口；秋何負，持螯手？儘石麟無没，斷烟衰柳。故國山圍青玉案，何人印佩黄金斗？倘只消、江左管夷吾，終須有。

楊伯嵒

伯嵒字彦瞻，號泳齋，楊和王諸孫，居臨安。淳祐間，除工部郎，出守衢州。錢唐薛尚功之外孫，弁陽周公謹之外舅也。有《六帖補》二十卷、《九經補韵》一卷行世。

踏莎行　雪中疏寮借閣帖，更以薇露送之。

梅觀初花，蕙庭殘葉，當時慣聽山陰雪。東風吹夢到清都，今年雪比年前别。　重釀宮醪，雙鈎官帖，伴翁一笑成三絶。夜深何用對青藜，窗前一片蓬萊月。

《**法帖譜系**》云：　熙陵以武定四方，載櫜弓矢、文治之餘，留意翰墨，乃出御府歷代所藏真迹，命侍書王著摹勒刻板，禁中匣爲十卷，此歷代法帖之祖。

《**格古要論**》云：　太宗搜訪古人墨迹，於淳化中，命侍書王著摹勒作十卷，用棗木板刻置秘閣。上有銀錠紋，用澄心堂紙、李庭珪墨拓打，以手揩之，墨不污手。親王、大臣各賜一本，人間罕得。

《**讀書附志**》云：　《淳熙秘閣續法帖》十卷，淳熙十二年三月十九日奉聖旨摹勒鍾繇諸人帖。

《**武林舊事**》云：　諸色酒名薔薇露，流香并御庫。

《**中興館閣續録**》云：　高似孫字續古，鄞縣人。淳熙十一年進士，慶元五年十月，除秘書省校書郎，六年二月，通判徽州。

按似孫號疏寮。

周晋

晋字明叔，號嘯齋。

點絳唇　訪牟存叟南漪釣隱

午夢初回，捲簾盡放春愁去。晝長無侣，自對黄鸝語。　絮影蘋香，春在無人處。移舟去，未成新句，一硏梨花雨。

《癸辛雜識》云：牟端明園，本郡志南園，後歸李寶謨，其後又歸牟存齋。園中有碩果軒（大梨一株）、元祐學堂、芳菲二亭、萬鶴亭（茶蘼）、雙杏亭、桴舫齋、岷峨一畝宫，前枕大溪，曰南漪小隱。《吴興掌故集》云：牟子才，字存叟，其先井硏人。愛吴興山水清遠，因家湖州之南門。

清平樂

圖書一室，香暖垂簾密。花滿翠壺熏硏席，睡覺滿窗晴日。　手寒不了殘棋，篝香細勘唐碑。無酒無詩情緒，欲梅欲雪天時。

《珊瑚網》：郭畀手書此詞，跋云：『大德十一年，歲丁未，十月初十日，客寓燕山，奔走暮歸，黄塵滿面。挑燈讀此詞一過，想像江南如夢中也。』

柳梢青　楊花

似霧中花，似風前雪，似雨餘雲。本自無情，點萍成緑，却又多情。　西湖南陌東城，甚管定、年年送春。薄倖東風，薄情游子，薄命佳人。

楊纘

纘字繼翁，嚴陵人，居錢唐。寧宗楊后兄次山之孫，號守齋，又號紫霞翁。《圖繪寶鑒》云：度宗朝，女爲淑妃，官列卿。好古博雅，善琴，有《紫霞洞譜》傳世，時作墨竹。

八六子 牡丹次白雲韵

怨殘紅，夜來無賴，雨催春去匆匆。但暗水新流芳恨，蝶凄蜂慘，千林嫩緑迷空。　那知國色還逢，柔弱華清扶倦，輕盈洛浦臨風。細認得凝妝，點脂勻粉，露蟬聳翠，蕊金團玉成叢。幾許愁隨笑解，一聲歌轉春融。眼朦朧，凭闌干、半醒醉中。

一枝春 除夕

竹爆驚春，競喧填、夜起千門簫鼓。流蘇帳暖，翠鼎緩騰香霧。停杯未舉，奈剛要、送年新句。應自有、歌字清圓，未誇上林鶯語。　從他歲窮日暮，縱閑愁、怎減劉郎風度。屠蘇辦了，迤邐柳欺梅妒。宫壺未曉，早驕馬、綉車盈路。還又把、月夜花朝，自今細數。

《武林舊事》云：守歲之詞雖多，極難其選，獨守齋《一枝春》最爲近世所稱。

被花惱 自度腔

疏疏宿雨釀寒輕，簾幕静垂清曉。寶鴨微温瑞烟少。檐聲不動，春禽對語，夢怯頻驚覺。倚珀枕，倚銀床，半窗花影明東照。　惆悵夜來風，生怕嬌香混瑶草。披衣便起，小徑回廊，處處多行到。正千紅萬紫競芳妍，又還似、年時被花惱。驀忽地，省得而今雙鬢老。

《詞旨·詞眼》：　蝶淒蜂慘。

翁孟寅

孟寅字賓暘，號五峰，錢唐人。《四朝聞見録》云：翁孟寅，其先本建之崇安人。祖中丞彦國，僞楚張邦昌僭帝時，嘗提兵勤王，爲李丞相綱之亞。父謙之，進士。孟寅首登臨安鄉書。

齊天樂　元夕

紅香十里銅駝夢，如今舊游重省。節序飄零，歡娛老大，慵立燈光蟾影。傷心對景，怕回首東風，雨晴難準。曲巷幽坊，管弦一片笑相近。

飛棚浮動翠葆，看金釵半溜，春爐紅粉。鳳輦鼇山，雲收霧斂，迤邐銅壺漏迥。霜風漸緊，展一幅青綃，爭懸孤鏡。帶醉扶歸，曉醒春夢穩。

燭影摇紅

樓倚春城，瑣窗曾共巢春燕。人生好夢逐春風，不似楊花健。舊事如天漸遠，奈晴絲、牽愁未斷。鏡塵埋恨，帶粉栖香，曲屏寒淺。

環珮空歸，故園羞見桃花面。輕烟殘照下欄杆，獨自疏簾捲。一信狂風又晚，海棠花、隨風滿院。亂鴉歸後，杜宇啼時，一聲聲怨。

阮郎歸

月高樓外柳花明，單衣怯露零。小橋燈影落殘星，寒烟蘸水萍。　歌袖窄，舞環輕，梨花夢滿城。落紅啼鳥兩無情，春愁添曉醒。

吴文英《夢窗乙稿·江神子·送翁五峰自鶴江還都》云：西風一葉送行舟，淺遲留，艤汀洲。新浴紅衣，緑水帶香流。應是離宫城外晚，人佇立，小簾鈎。新歸重省别來愁，黛眉頭，半痕秋。天上人間，斜月綉針樓。湖浪暮迷花蝶夢，江上釣，負輕鷗。

趙汝茪

汝茪字參晦，號霞山。《宋史·宗室世系表》：商王元份八世孫，善官子。

梅花引

對花時節不曾歡，見花殘，任花殘。小約簾櫳，一面受春寒。題破玉箋雙喜鵲，香燼冷，繞雲屏，渾是山。　待眠、未眠、事萬千，也問天，也恨天。髻兒半偏，綉裙兒、寬了還寬。自取紅氈，重坐暖金船。惟有月知君去處，今夜月，照秦樓，第幾間？

夢江南

簾不捲，細雨熟櫻桃。數點霽霞天又曉，一痕凉月酒初消。風緊絮花高。　蕭閑處，磨盡少年豪。昨夢醉來騎白鹿，滿湖春水段家橋。濯髮聽吹簫。

戀綉衾

柳絲空有萬千條，繫不住、溪頭畫橈。想今宵、也對新月，過輕寒、何處小橋？　玉簫臺榭春多少，溜啼痕、盈臉未消。怪別來、燕支慵傅，被春風、偷在杏梢。

漢宮春

著破荷衣，笑西風吹我，又落西湖。湖間舊時飲者，今與誰俱？山山映帶，似携來、畫卷重舒。三十里、芙蓉步障，依然紅翠相扶。　一目清無留處，任屋浮天上，身集空虛。殘燒夕陽過雁，點點疏疏。故人老大，好襟懷、消減全無。漫贏得、秋聲兩耳，冷泉亭下騎驢。

如夢令

小研紅綾箋紙，一字一行春泪。封了更親題，題了又還起。歸未，歸未，好個瘦人天氣！

《詞旨·警句》：怪別來、胭脂慵傅，被春風、偷在杏梢。（戀綉衾）

馮去非

去非字可遷，號深居，南康都昌人。淳祐元年進士，幹辦淮東轉運司。寶祐四年，召爲宗學諭。

喜遷鶯

涼生遥渚，正綠芰擎霜，黃花招雨。雁外漁燈，蛩邊蟹舍，絳葉表秋來路。世事不離雙鬢，遠夢偏欺孤旅。送望眼，但憑舷微笑，書空無語。　慵看清鏡裏，十載征塵，長把朱顔污。借箸青油，揮毫紫塞，舊事不堪重舉。間闊故山猿鶴，冷落同盟鷗鷺。倦游也，便檣雲梔月，浩歌歸去。

吴文英《夢窗丙稿·燭影摇紅·餞馮深居，翼日深居初度》云：飛蓋西園，晚秋恰勝春天氣。霜花開盡錦屏空，紅葉新裝綴。時放清杯泛水，暗凄凉、東風舊事。夜吟不就，松影闌干，月籠寒翠。莫唱陽關，但憑彩袖歌千歲。秋星入夢隔明朝，十載吴宫會。一棹回潮渡葦，正西窗、燈花報喜。柳蠻櫻素，試酒爭憐，不教不醉。

許棐

棐字忱夫，海鹽人。嘉熙中隱居秦溪，於水南種梅數十樹，自號梅屋，室中懸白香山、蘇東坡二像事之。人有奇編，見無不録，以故環室皆書。著有《獻醜集》一卷、《梅屋稿》三卷、《融春小綴》一卷、《樵談》一卷、《梅屋詩餘》一卷。

鷓鴣天

翠鳳金鸞綉欲成，沉香亭下款新晴。緑隨楊柳陰邊去，紅踏桃花片上行。鶯意緒，蝶心情，一時分付小銀箏。歸來玉醉花柔困，月濾窗紗約半更。

琴調相思引

組綉盈箱錦滿機，倩人縫作護花衣。恐花飛去，無復上芳枝。已恨遠山迷望眼，不須更畫遠山眉。正無聊賴，雨外一鳩啼。

後庭花

一春不識西湖面，翠羞紅倦。雨窗和泪摇湘管，意長箋短。知心惟有雕梁燕，自來相伴。東風不管琵琶怨，落花吹遍。

《梅屋詩餘·滿宫春》云：懶摶香，慵弄粉，猶帶淺醒微困。金鞍何處掠新歡？倩燕鶯尋問。柳供愁，花獻恨，衮絮獵紅成陣。碧樓能有幾番春？又是一番春盡。《虞美人》云：杏花窗底人中酒，花與人相守。簾衣不肯護春寒，一聲嬌囀兩眉攢，擁衾眠。明朝又有秋千約，恐未忺梳掠。倩誰傳語畫樓風，略吹絲雨濕春紅，絆游踪。《山花子》云： 挼柳揉花旋染衣，絲絲紅翠撲春輝。羅綺叢中無此豔，小西施。腰細最便圍舞帕，袖寒時復罩香匜。誤點一痕殘粉泪，怕人知。

陸叡

叡字景思，號雲西，會稽人。《會稽續志·進士表》： 紹定五年徐元杰榜陸叡，佃五世孫。《景定建康志》： 陸叡，淳祐中沿江制置使參議，除禮部員外，崇政殿說書。

瑞鶴仙

濕雲黏雁影，望征路愁迷，離緒難整。千金買光景，但疏鐘催曉，亂鴉啼暝。花悰暗省，許多情、相逢夢境。便行雲、都不歸來，也合寄將音信。 孤迥，盟鸞心在，跨鶴程高，後期無準。情絲待剪，翻惹得，舊時恨。怕天教何處，參差雙燕，還染殘朱

剩粉。對菱花、與說相思，看誰瘦損。

《詞旨·警句》： 對菱花、與說相思，看誰瘦損。（瑞鶴仙）

蕭泰來

泰來字則陽，號小山，臨江人。紹定二年進士，有《小山集》。《癸辛雜識》云： 泰來，理宗朝爲御史，附謝丞相，爲右司李伯玉所劾，姚希得指爲小人之宗。

霜天曉角 梅

千霜萬雪，受盡寒磨折。賴是生來瘦硬，渾不怕、角吹徹。 清絕，影也別，知心惟有月。元没春風情性，如何共、海棠說？

《庶齋老學叢談》云： 此作與王瓦全梅詞命意措詞略相似。

《詞旨·警句》： 清絕，影也別，知心惟有月。（霜天曉角）

趙希邁

希邁字端行（詞本作瑞行，誤），號西里，永嘉人。《**宋史·宗室世系表**》：燕王德昭九世孫，師僚第三子。《**續文獻通考**》云：趙希邁著有《西里稿》，高疏寮跋。

八聲甘州 竹西懷古

寒雲飛萬里，一番秋、一番攪離懷。向隋堤躍馬，前時柳色，今度蒿萊。錦纜殘香在否，枉被白鷗猜。千古揚州夢，一覺庭槐。

歌吹竹西難問，拚菊邊醉著，吟寄天涯。任紅樓踪迹，茅屋染蒼苔。幾傷心、橋東片月，趁夜潮、流恨入秦淮。潮回處、引西風恨，又渡江來。

《**詩話總龜**》云：蜀岡者，維揚之地也。蜀岡之南有竹西亭，修竹疏翠，後即禪智寺也，取杜牧之『斜陽竹西路，歌吹是揚州』。自蜀岡以南，景氣頓异，北風至此遂絶。**葛洞**《**江都志**》云：竹西亭，在城北五里，禪智寺側，向子固易曰『歌吹』。經紹興兵火，周淙重建，復舊名。

趙崇嶓

崇嶓字漢宗，號白雲，南豐人。嘉定十六年進士，授石城令，改淳安。嘗上疏極論儲嗣未定及中人專横，官至大宗丞。有《白雲稿》。《**宋史·宗室世系表**》：商王元份九世孫，汝悉長子。

蝶戀花

一剪微寒禁翠袂，花下重開，舊燕添新壘。風旋落紅香匝地，海棠枝上鶯飛起。

薄霧籠春天欲醉，碧草澄波，的的情如水。料想紅樓挑錦字，輕雲淡月人憔悴。

菩薩蠻

桃花相向東風笑，桃花忍放東風老。細草碧如烟，薄寒輕暖天。折釵鸞作股，鏡裏參差舞。破碎玉連環，捲簾春睡殘。

趙希彭 一作瀩

希彭字清中，號十洲，四明人。《宋史·宗室世系表》：燕王九世孫，師鄭長子。《延祐四明志》：寶慶二年王會龍榜進士。

霜天曉角 桂

姮娥戲劇，手種長生粒。寶幹婆娑千古，飄芳吹、滿虛碧。韵色，檀露滴，人間秋第一。金粟如來境界，誰移在、小亭側？

秋蕊香

髻穩冠宜翡翠，壓鬢彩絲金蕊。遠山碧淺蘸秋水，香暖榴裙襯

地。亭亭二八餘年紀，惱春意。玉雲凝重步塵細，獨立花陰寶砌。

王澡

澡字身甫，號瓦全。《庶齋老學叢談》云：澡，四明人，有《瓦全集》。《文獻通考》：王澡，寧海人，太常博士，初名津，字子知。

霜天曉角 梅

疏明瘦直，不受東皇識。留與伴春應肯，千紅底、怎著得？夜色，何處笛？曉寒無奈力。飛入壽陽宮裏，一點點、有人惜。

方岳《深雪偶談》云：太常博士瓦全王先生，有落梅小詞云云。劉公潜夫已附於《後村集·詩話》中，予亦僭附之拙稿。雖然，先生文行表表，一詞固何足爲先生輕重也！予少時即登門，以先公同生丙戌且相友善之故，遂辱撰先公墓銘志，中有『文不逮岳，而岳强以銘之』語，當知前輩奬掖後進，有如此也。

趙與⿰金御 詞本誤作⿰金衙

與⿰金御字慶御，號崑崙。《宋史·宗室世系表》：燕王十世孫，希汿第三子。

謁金門

歸去去，風急蘭舟不住。夢裏海棠花下語，醒來無覓處。　薄倖心情似絮，長是輕分輕聚。待得來時春幾許？綠陰三月暮。

樓槃

槃字考甫，號曲澗。

霜天曉角　梅

月淡風輕，黃昏未是清。吟到十分清處，也不嘗、二三更。

曉鐘天未明，曉霜人未行。只有城頭殘角，説得盡、我平生。

又

剪雪裁冰，有人嫌太清。又有人嫌太瘦，都不是、我知音。

誰是我知音？孤山人姓林。一自西湖別後，辜負我、到如今。

鍾過

過字改之，號梅心，廬陵人。中寶祐三年乙卯解試。

步蟾宮

東風又送酴醾信，蚤吹得、愁成潘鬢。花開猶似十年前，人不似、十年前俊。　水邊珠翠香成陣，也消得、燕窺鶯認。歸來沉醉月朦朧，覺花氣、滿襟猶潤。

《詞旨·警句》：花開猶似十年前，人不似、十年前俊。（步蟾宮）

《詞眼》：燕窺鶯認。

李從周

從周字肩吾，號蠙洲，眉州人。精六書之學，嘗著《字通》。爲魏鶴山之客。**虞集《字通序》云**：李君在魏文靖公門下，有師友之道焉。

拋球樂

風罥蔫紅雨易晴，病花中酒過清明。綺窗幽夢亂於柳，羅袖泪痕凝似錫。冷地思量著，春色三停早二停。

風流子

雙燕立虹梁，東風外、烟雨濕流光。望芳草雲連，怕經南浦；葡萄波漲，怎博西涼。空記省，殘妝眉暈斂，罥袖唾痕香。春滿綺羅，小鶯捎蝶；夜留弦索，幺鳳求凰。江湖飄零久，頻回首、無奈觸緒難忘。誰信温柔牢落，翻墮愁鄉。便（别本作使，非。）玉箋銅爵，花間陶寫；瑶釵金鏡，月底平章。十二主家樓苑，應念蕭郎。

清平樂

美人嬌小，鏡裏容顏好。秀色侵人春帳曉，郎去幾時重到？叮嚀記取兒家：碧雲隱映紅霞。直下小橋流水，門前一樹桃花。

風入松 冬至

霜風連夜做冬晴，曉日千門。香葭暖透黃鍾管，正玉臺、彩筆書雲。竹外南枝意早，數花開對清樽。　香閨女伴笑輕盈，倦綉停針。花磚一綫添紅景，看從今、迤邐新春。寒食相逢何處？百單五個黃昏。

烏夜啼

徑蘚痕沿碧甃，檐花影壓紅闌。今年春事渾無幾，游冶懶情慳。　舊夢鶯鶯沁水，新愁燕燕長干。重門十二簾休捲，三月尚春寒。

清平樂

東風無用，吹得愁眉重。有意迎春無意送，門外濕雲如夢。　韶光九十慳慳，俊游回首關山。燕子可憐人去，海棠不分春寒。

鷓鴣天

綠色吳箋覆古苔，濡毫重擬賦幽懷。杏花簾外鶯將老，楊柳樓前燕不來。　倚玉枕，墜瑤釵，午窗輕夢繞秦淮。玉鞭何處貪游冶，尋遍春風十二街。

《詞旨·警句》：叮嚀記取兒家：碧雲隱映紅霞。直下小橋流水，門前一樹桃花。（清平樂）

黃簡　柯氏刊本作闌，高氏作蘭，俱誤。

簡一名居簡，字元易，號東浦。文肇祉《虎邱志》云：黃居簡，字元易，建安人。工詩。嘉熙中卒，通判翁逢龍葬之虎邱。王鏊《姑蘇志》云：漳潭陳氏北園，范石湖書扁，東浦黃簡爲記。即其人也。

柳梢青

病酒心情，喚愁無限，可奈流鶯。又是一年，花驚寒食，柳認清明。　天涯翠巘層層，是多少、長亭短亭！倦倚東風，只憑好夢，飛到銀屏。

玉樓春

龜紋曉扇堆雲母，日上彩闌新過雨。眉心猶帶寶觥醒，耳性已通銀字譜。　密奩彩索看看午，暈素分紅能幾許？妝成授鏡問春風：比似庭花誰解語？

陳策

策字次賈，號南墅，上虞人。以功授武階。

摸魚兒　仲宣樓賦

倚危梯、酹春懷古，輕寒纔轉花信。江城望極多愁思，前事惱人方寸。湖海興，算合付、元龍舉白澆談吻。憑高試問，問舊日王郎，依劉有地，何事賦幽憤？　沙頭路，休記家山遠近，賓鴻一去無信。滄波渺渺空歸夢，門外北風凄緊。烏帽整，便做得功名，難緑星星鬢。敲吟未穩，又白鷺飛來，垂楊自舞，誰與寄離恨。

李曾伯《可齋雜稿·仲宣樓記略》云：按《江陵志》，樓名昉於祥符，復於紹興。淳祐十年，賈公似道爲制置使，重新是樓。夏六月，易鎮全淮，覃懷李某繼之如前畫，越半期告成。臘月二十有五日，爰集賓校，置酒而落之。**又《點絳唇·餞陳次賈》云**：懶上巍樓，楚江一望天無際。漫游萍寄，莫挽東流水。一片秋光，直到山陰里。人還記，戍邊歸未？更憶鱸魚美。**又《齊天樂·和陳次賈爲壽韵》云**：今年塞上秋來早，昴街尚餘芒曜。舉目關河，驚心弧矢，顧我豈堪戎纛？幾番鳳誥，愧保障何功，恩隆旒藻。笑指呼鷹，露花烟草憶劉表。頭顱如許相與，歲寒猶賴有，白髮公道。對月懷人，臨風訪古，往事凄凉難考。何時是了？莫馳志伊吾，貪名清廟。松菊歸來，稽山招此老。**按**淳祐中，可齋爲荆州閫帥，次賈在賓幕，相與倡和。此詞正作於仲宣樓落成之日也。

《江陵志餘》云：仲宣樓在城東南隅，憑墉結構，列榭參差，相傳後梁高季興所建望沙樓也。陳堯佐鎮荆，乃易今名。**然**《登樓賦》注言樓在江陵，梁孝元《出江陵縣還》詩『朝出屠牛縣，夕反仲宣樓』，《先賢傳》亦云『荆州有王粲宅』，則樓屬江陵，亦自有據，不必泥指當陽、襄陽爲定案也。

滿江紅　楊花

倦綉人閑，恨春去、淺顰輕掠。章臺路、雪黏飛燕，帶芹穿幕。委地身如游子倦，隨風命似佳人薄。嘆此花、飛後更無花，情懷惡。　心下事，誰堪托；憐老大，傷飄泊。把前回離恨，暗中描摸。又趁扁舟低欲去，可憐世事今非昨。看等閑、飛過女墻來，鞦韆索。

黄　昇　高氏刊本作暑，誤。

昇字叔暘，號玉林。**胡季直云**：玉林早棄科舉，雅意讀書，吟咏自適。游受齋稱其詩爲『晴空冰柱』。樓秋房聞其與魏菊莊友善，并以泉石清士目之。有《絶妙詞選》二十卷、《散花庵詞》一卷。

清平樂　宫詞

珠簾寂寂，愁背銀釭泣。記得少年初選入，三十六宫第一。

當時掌上承恩，而今冷落長門。又是羊車過也，月明花落黄昏。

《詞旨·警句》：　又是羊車過也，月明花落黄昏。（清平樂）

《散花庵詞·浪淘沙》云：　秋色滿層霄，剪剪寒飈。一襟殘照兩無聊。數盡歸鴉人不見，落木蕭蕭。往事欲魂消，夢想風標。春江緑漲水平橋。側帽停鞭沽酒處，柳軟鶯嬌。

李振祖

振祖號中山。《寶祐四年登科録》：　第四甲第十三人李振祖，字起翁，第萬一慈侍下，年四十六，二月丁酉日丑時生。外氏趙一舉，娶劉氏。曾祖簡能，御史；　祖皎，承義郎；　父寧。本貫福州閩縣，祖爲户。

浪淘沙

春在畫橋西，畫舫輕移。粉香何處度漣漪？認得一船楊柳外，簾影垂垂。　誰倚碧闌低，酒暈雙眉。鴛鴦并浴燕交飛。一片閑情春水隔，斜日人歸。

薛夢桂

夢桂字叔載，號梯飈，永嘉人。寶祐癸丑姚勉榜進士，嘗知福清縣。《四朝聞見録》云：　夢桂父公主，紹熙五年，上書光宗請建儲。《東嘉姓譜》云：　薛夢桂，仕至平江倅。

醉落魄

單衣乍著，滯寒更傍東風作。珠簾壓定銀鈎索。雨弄新晴，輕旋玉塵落。　花唇巧借妝紅約，嬌羞纔放三分萼。樽前不用多評泊。春淺春深，都向杏梢覺。

眼兒媚　緑箋

碧筒新展緑蕉芽，黄露灑榴花。蘸烟染就，和雲捲起，秋水人家。只因一朵芙蓉月，生怕黛簾遮。燕銜不去，雁飛不到，愁滿天涯。

三姝媚

薔薇花謝去，更無情連夜，送春風雨。燕子呢喃，似念人憔悴，往來朱户。漲緑烟深，早零落、點池萍絮。暗憶年華，羅帳分釵，又驚春暮。 芳草凄迷征路，待去也還將，畫輪留住。縱使重來，怕粉容銷膩，却羞郎覷。細數盟言，猶在帳、青樓何處？綰盡垂楊，争似相思寸縷！

浣溪紗

柳映疏簾花映林，春光一半幾銷魂，新詩未了枕先温。 燕子説將千萬恨，海棠開到二三分，小窗銀燭又黄昏。

曾揆

揆字舜卿，號懶翁，南豐人。

西江月

欄雨輕敲夜夜，墻雲低度朝朝。日長天氣已無聊，何况洞房人悄。 眉共新荷不展，心隨垂柳頻摇。午眠仿佛見金翹，驚覺數聲啼鳥。

錢唐汪沆

陳皋同校勘

絶妙好詞箋卷三終

絶妙好詞箋卷四

弁陽老人周密原輯

宛平查爲仁
錢唐厲鶚　同箋

吴文英

文英字君特，號夢窗，四明人。從吴履齋諸公游。有《夢窗甲乙丙丁稿》。

尹惟曉云：求詞於吾宋，前有清真，後有夢窗。此非焕之言，天下之公言也。

沈義甫云：夢窗深得清真之妙，其失在用事下語，太晦處，人不可曉。

張叔夏云：吴夢窗如七寶樓臺，眩人眼目，拆碎下來，不成片段。

八聲甘州　陪庾幕諸公秋登靈岩

渺空烟四遠，是何年、青天墜長星？幻蒼崖雲樹，名娃金屋，殘霸宫城。箭徑酸風射眼，膩水染花腥。時靸雙鴛響，廊葉秋聲。

宫裏吴王沉醉，倩五湖倦客，獨釣醒醒。問蒼波無語，華髮奈山青。水涵空閣凭高處，送亂鴉、斜日落漁汀。連呼酒、上琴臺去，秋與雲平。

《**吴郡圖經續記**》云：研石山，在吴縣西二十一里。《越絶書》云：『吴人於研石山置館娃宫。』山頂有三池：曰月池，曰研池，曰玩花池，蓋吴時所鑿也。山上舊傳有琴臺，又有響屧廊，或曰鳴屐廊，廊以楩楠藉地，西子行則有聲，故名。嘗登靈岩之巔，俯瞰具區，烟濤浩渺，一目千里，而碧岩翠塢，點綴於滄波之間，誠絶景也。或云晋陸玩捨宅爲寺，即靈岩寺也。

《**吴郡志**》云：靈岩山前有採香徑，横斜如卧箭。

聲聲慢　閏重九飲郭園

檀欒金碧，婀娜蓬萊，游雲不蘸芳洲。露柳霜蓮，十分點綴殘秋。新彎畫眉未穩，似含羞、低度墻頭。愁送遠，駐西臺車馬，共惜臨流。　知道池亭多宴，掩庭花長是，驚落秦謳。膩粉闌干，猶聞凭袖香留。輸他翠漣拍甃，瞰新妝、時浸明眸。簾半捲，帶黃花、人在小樓。

《夢窗乙稿·絳都春》：　余往來清華池館六年，賦咏屢以感昔傷今，益不堪懷，乃復作此解云：『春來雁渚，弄艷冶又入，垂楊如許。困舞瘦腰，啼濕宫黄池塘雨。碧沿蒼蘚雲根路，尚追想、凌波微步。小樓重上，憑誰爲唱，舊時金縷？　凝佇，烟蘿翠竹，欠羅袖爲倚，天寒日暮。强醉梅邊，招得花奴來尊俎。東風須惹春雲住，莫把飛瓊吹去。便教移取薰籠，夜温綉户。』**《花心動·郭清華新軒》**云：　入眼青紅，小玲瓏、飛檐度雲微濕。綉檻展春，金屋寬花，誰管採菱波狹。翠深知是深多少？　都不放、夕陽紅入。待妝綴、新漪漲翠，小圜荷葉。此去春風滿篋，應時鎖蛛絲，淺虚塵榻。夜雨試燈，晴雪吹梅，趁取玳簪重盍。捲簾不解招新燕，春須笑、酒慳歌澀。半窗掩，日長困生翠睫。**按**郭園當即是郭清華池館，惜人與地俱不可考矣！

青玉案

短亭芳草長亭柳，記桃葉、烟江口。今日江村重載酒。殘杯不到，亂紅青冢，滿地閑春綉。　翠陰曾摘梅枝嗅，還憶鞦韆玉葱手。紅索倦將春去後。薔薇花落，故園蝴蝶，粉薄殘香瘦。

又

新腔一唱雙金斗，正霜落、分甘手。已是紅窗人倦綉。春詞裁燭，夜香温被，怕減銀壺漏。　吴天雁曉雲飛後，百感情懷頓（别本作賴，非。）疏酒。彩扇何時翻翠袖？　歌邊拚取，醉魂和夢，化作梅邊瘦。

好事近

飛露灑銀床，葉葉怨梧啼碧。蘄竹粉連香汗，是秋來陳迹。藕絲空纜宿湖船，夢闊水雲窄。還繫鴛鴦不住，老紅香月白。

唐多令

何處合成愁？離人心上秋。縱芭蕉、不雨也颼颼。都道晚涼天氣好，有明月，怕登樓。 年事夢中休，花空烟水流。燕辭歸、客尚淹留。垂柳不縈裙帶住，漫長是，繫行舟。

張叔夏云：此詞疏快不質實。

高陽臺 落梅

宮粉雕痕，仙雲墮影，無人野水荒灣。古石埋香，金沙鎖骨連環。南樓不恨吹橫笛，恨曉風、千里關山。半飄零，庭院黃昏，月冷欄杆。 壽陽宮裏愁鸞鏡，問誰調玉髓，暗補香瘢。細雨歸鴻，孤山無限春寒。離魂難倩招清些，夢縞衣、解佩溪邊。最愁人、啼鳥清明，葉底清圓。

杏花天 重午

幽歡一夢成炊黍，知緑暗、汀菰幾度？竹西歌斷芳塵去，寬盡經年臂縷。 梅黃後、林梢更雨，小池面、啼紅怨暮。當時明月重生處，樓上宮眉在否？

風入松

聽風聽雨過清明，愁草瘞花銘。樓前緑暗分携路，一絲柳、一寸柔情。料峭春寒中酒，交加曉夢啼鶯。　西園日日掃林亭，依舊賞新晴。黄蜂頻撲鞦韆索，有當時、纖手香凝。惆悵雙鴛不到，幽階一夜苔生。

朝中措

晚妝慵理瑞雲盤，針綫傍燈前。燕子不歸簾捲，海棠一夜孤眠。　踏青人散，遺鈿滿路，雨打鞦韆。尚有落花寒在，緑楊未褪青綿。

西江月　青梅枝上晚花

枝裊一痕雪在，葉藏幾豆春濃。玉奴最晚嫁東風，來結梨花幽夢。　香力添薰羅被，瘦肌猶怯冰綃。緑陰青子老溪橋，羞見東鄰嬌小。

浪淘沙

燈火雨中船，客思綿綿。離亭春草又秋烟。似與輕鷗盟未了，來去年年。　往事一潸然，莫過西園。凌波香斷緑苔錢。燕子不知春事改，時立鞦韆。

高陽臺　豐樂樓分韵得『如』字

修竹凝妝，垂楊駐馬，憑闌淺畫成圖。山色誰題？樓前有雁斜書。東風緊送斜陽下，弄舊寒、晚酒醒餘。自銷凝、幾許花前，頓老相如。 傷春不在歌樓上，在燈前攲枕，雨外薰爐。怕有游船，臨流可奈清癯。飛紅若到西湖底，攪翠瀾、總是愁魚。莫重來、吹盡香綿，泪滿平蕪。

思嘉客

迷蝶無踪曉夢沉，寒香深閉小庭心。欲知湖上春多少，但看樓前柳淺深。 愁自遣，酒孤斟，一簾芳景燕同吟。杏花宜帶斜陽看，幾陣東風晚又陰。

采桑子慢 九日

桐敲露井，殘照西窗人起。悵玉手、曾携烏紗，笑整風攲。水葉沉紅，翠微雲冷雁慵飛。樓高莫上，魂銷正在，摇落江蘺。走馬斷橋，玉臺妝榭，羅帕香遺。嘆人老、長安燈外，愁换秋衣。醉把茱萸細看，清泪濕芳枝。重陽重處，寒花怨蝶，新月東籬。

三姝媚 過都城舊居有感

湖山經醉慣，漬春衫、啼痕酒痕無限。久客長安，嘆斷襟零袂，涴塵誰浣？ 紫曲門荒，沿敗井、風摇青蔓。對語東鄰，猶是曾巢，謝堂雙燕。 春夢人間須斷！ 但怪得、當時夢緣能短。綉屋秦箏，傍海棠偏愛，夜深開宴。舞歇歌沉，花未减、紅顔先變。佇久河橋欲向，斜陽泪滿。

《詞旨·屬對》：　霜杵敲寒，風燈摇夢。盤絲繫腕，巧篆垂簪。落葉霞飄，敗窗風咽。風泊波驚，露零秋冷。

《警句》：　連呼酒、上琴臺去，秋與雲平。（八聲甘州）簾半捲，帶黄花、人在小樓。（聲聲慢）玉奴最晚嫁東風，來結梨花幽夢。（西江月）緑陰青子老溪橋，羞見東鄰嬌小。（同上）月落杯空無影。（齊天樂）不約舟移楊柳繫，有緣人映桃花見。（倦尋芳）漸老芙蓉，猶自帶霜看。（同上）**楙案**：《詞綜》作『帶霜重看』。

《鐵網珊瑚》：　吴文英手書詞稿《古香慢·自度腔，夷則商犯無射宫，賦滄浪看桂》云：『怨娥墜柳，離佩摇荭，霜訊南浦。謾憶橋扉，倚竹袖寒日暮。還同月中游，夢飛過、金風翠羽。把殘雲、剩水萬頃，暗熏冷麝凄苦。漸浩渺、凌山高處，秋澹無光，殘照誰主？露粟侵肌，夜約羽林輕誤。剪碎惜秋心，更腸斷、珠塵蘚路。怕重陽，又催近、滿城細雨。』

沈伯時《樂府指迷》云：　余自幼好詩，壬寅秋始識静翁於澤濱，癸卯識夢窗，暇日相與倡酬，率多填詞。因講論作詞之法，然後知詞之作難於詩。蓋音律欲其協，不協則成長短之詩；　下字欲其雅，不雅則近乎纏令之體；　用字不可太露，露則直突而無深長之味；　發意不可太高，高則狂怪而失柔婉之意。　思此則知所以爲難。

周公謹《蘋洲漁笛譜·玉漏遲·題吴夢窗詞集》云：　老來歡意少，錦鯨仙去，紫簫聲杳。怕展金奩，依舊故人懷抱。猶想烏絲醉墨，驚俊語、香紅圍繞。閑自笑，與君共是，承平年少。雨窗短夢誰憑，是幾番宫商，幾番吟嘯？　泪眼東風，回首四橋烟草。載酒倦游處，已换却、花間啼鳥。春恨悄，天涯暮雲殘照。

張炎《山中白雲·聲聲慢·題夢窗自度曲〈霜花腴〉卷後》云：　烟堤小舫，雨屋深燈，春衫慣染京塵。舞柳歌桃，心事暗惱東鄰。渾疑夜窗夢蝶，到如今、猶宿花深。待唤起，甚江蘺摇落，化作秋聲。回首曲終人遠，黯銷魂、忍看朵朵芳雲。潤墨空題，惆悵醉魄難醒。獨憐水樓賦筆，有斜陽、還怕登臨。愁未了，聽殘鶯、啼過柳陰。

翁元龍

元龍字時可，號處静。《娥江題咏》云：　句章人。

杜成之云：　時可之作，如絮浮水，如荷濕露，縈旋流轉，似沾非著。

水龍吟

雪霽登吴山見滄閣，聞城中簫鼓聲。

畫樓紅濕斜陽，素妝褪出山眉翠。街聲暮起，塵侵燈户，月來舞地。宫柳招鶯，水荭飄雁，隔年春意。黯梨雲散作，人間好夢，瓊簾在，錦屏底。　樂事輕隨流水，暗蘭消、作花心計。情絲萬軸，因春織就，愁羅恨綺。昵枕迷香，占簾看夜，舊游經醉。任孤山剩雪，殘梅漸懶，跨東風騎。

《西湖游覽志》云：吴山石龜巷内寶奎寺，宋相喬行簡故第，後捨爲寺，有理宗書『見滄』二字，勒之崖石。

《西湖塵談》云：吴山下寶奎寺，門徑幽深，樹石清雅，乃宋相喬行簡故第。其西偏坡陀可眺立，大江一望在目。有巨石，上刻『見滄』二字，其旁款璽云『御書之寶』，相傳宋理宗書。

風流子　聞桂花懷西湖

天闊玉屏空，輕雲弄、淡墨畫秋容。正涼挂半蟾，酒醒窗下，露催新雁，人在山中。又一片，好秋花占了，香換却西風。簾女夜歸，帳栖青鳳，鏡娥妝冷，釵墜金蟲。　西湖花深窈，閑庭砌

曾占，席地歌鐘。載取斷雲歸去，幾處房櫳。恨小簾燈暗，粟肌消瘦，薰爐烟減，珠袖玲瓏。三十六宫清夢，還與誰同？

醉桃源　柳

千絲風雨萬絲晴，年年長短亭。闇黄看到緑成陰，春由他送迎。　鶯思重，燕愁輕，如人離别情。繞湖烟冷罩波明，畫船移玉笙。

謁金門

鶯樹暖，弱絮欲成芳藹。流水惜花流不遠，小橋紅欲滿。　原上草迷離苑，金勒晚風嘶斷。等得日長春又短，愁深山翠淺。

絳都春

秋晚，海棠與黄菊盛開。

花嬌半面，記密燭夜闌，同醉深院。衣袖粉香，猶未經年如年遠。玉顔不趁秋容换，但换却、春游同伴。夢回前度，郵亭倦客，又拈箋管。

慵按《梁州》舊曲，怕離柱斷弦，驚破金雁。霜被睡濃，不比花前良宵短。秋娘羞占東籬畔，待説與、深宮幽怨。恨他情淡陶郎，舊緣較淺。

《詞旨·屬對》：種石生雲，移花帶月。

《詞眼》：愁羅恨綺。

《花草粹編》：翁處静《瑞龍吟》云：『清明近，還是遞遣東風，做成花信。芳時一刻千金，半晴半雨，醉春未準。雁歸盡，離字向人欲寫，暗雲難認。西園猛憶逢迎，翠紈障面，花間笑隱。曲徑池蓮平砌，絳裙曾與，濯香湔粉。無奈燕幕鶯簾，輕負嬌俊！　青榆巷陌，蹋馬紅成寸。十年夢、鞦韆吊影，襪羅塵褪。事往憑誰問？晝長病酒添新恨。烟冷斜陽晚，山黛遠、曲曲闌干凭損。柳絲萬尺，半堤風緊。』

鄭楷

楷字持正，號眉齋，三山人。嘗著《文房擬制表》一卷，載元人樊雪舟士寬所輯《文章善戲》。

訴衷情

酒旗摇曳柳花天，鶯語軟於綿。碎緑未盈芳沼，倒影蘸鞦韆。

奩玉燕，套金蟬，負華年。試問歸期，是酴醿後，是牡丹前？

黄孝邁

孝邁字德文，號雪舟。

劉克莊《後村集·跋雪舟長短句》云：『十年前曾評君樂章，耄矣復觀新腔一卷，賦梨花云：『一春花下，幽恨重重。又愁晴，又愁雨，又愁風。』水仙云：『自側金卮，臨風一笑，酒容吹盡。恨東風忙去，薰桃染柳，不念淡妝人冷。』又云：『驚鴻去後，輕拋素襪，杳無音信。細看來只怕蕊仙，不肯讓、梅花俊。』暮春云：『店舍無烟，關山有月，梨花滿地。二十年好夢，不曾圓合，而今老、都休矣！』其清麗，叔原、方回不能加；其綿密，駸駸秦郎『和天也瘦』之作。

湘春夜月

近清明，翠禽枝上消魂。可惜一片清歌，都付與黃昏！欲共柳花低訴，怕柳花輕薄，不解傷春。念楚鄉旅宿，柔情別緒，誰與温存？　空樽夜泣，青山不語，殘月當門。翠玉樓前，惟是有、一波湘水，搖蕩湘雲。天長夢短，問甚時、重見桃根？這次第，算人間没個，并刀剪斷，心上愁痕。

水龍吟

閑情小院沉吟，草深柳密簾空翠。風檐夜響，殘燈慵剔，寒輕怯睡。店舍無烟，關山有月，梨花滿地。二十年好夢，不曾圓合，而今老、都休矣。　誰共題詩秉燭？兩厭厭、天涯別袂。柔腸一寸，七分是恨，三分是泪。芳信不來，玉簫塵染，粉衣香退。待問春怎把，千紅換得，一池緑水？

江開

開字開之，號月湖。

浣溪沙

手拈花枝憶小蘋，緑窗空鎖舊時春，滿樓飛絮一筝塵。　素約未傳雙燕語，離愁還入賣花聲，十分春事倩行雲。

杏花天

謝娘庭院通芳徑，四無人、花梢轉影。幾番心事無憑準，等得青春過盡。　鞦韆下、佳期又近，算畢竟、沉吟未穩。不成又是教人恨？　待倩楊花去問。

《詞旨·警句》：　不成又是教人恨，待倩楊花去問。（杏花天）

譚宣子

宣子字明之，號在庵。

謁金門

人病酒，生怕日高催繡。昨夜新番花樣瘦，旋描雙蝶湊。　閑凭繡床呵手，却説春愁還又。門外東風吹綻柳，海棠花斷勾。

江城子　咏柳

嫩黄初染緑初描，倚春嬌，縈春饒。燕外鶯邊，想見萬絲摇。便作無情終軟美，天賦與，眼眉腰。　短長亭外短長橋，駐金鑣，繫蘭橈。可愛風流，年紀可憐宵。辦得重來攀折後，烟雨暗，不辭遥。

《花草粹編》：　譚在庵《春聲碎》云：『津館貯輕寒，脉脉離情如水。東風不管，垂楊無力，總雨顰烟膩。闌干外，怕春燕掠天，疏鼓疊，春聲碎。劉郎易憔悴，況是厭厭病起。花箋謾展，便寫就新詞，倩將誰寄？　當此際，渾似夢峽啼湘，攬一寸相思意。』《漁家傲》云：『深意纏綿歌宛轉，横波停恨燈前見。最憶來時門半掩。春不暖，梨花落盡成秋苑。疊鼓收聲帆影亂，燕飛又起東風軟。目力謾長心力短。消息斷，青山一點和烟遠。』

陳逢辰

逢辰字振祖，號存熙。

烏夜啼

月痕未到朱扉，送郎時。暗裏一汪兒泪，没人知。　揾不住，收不聚，被風吹。吹作一天愁雨，損花枝！

西江月

楊柳雪融滯雨，酴醿玉軟欺風。飛英簌簌扣雕櫳，殘蝶歸來粉重。　罨畫扇題塵掩，綉花紗帶寒籠。送春先自費啼紅，更結疏雲秋夢。

樓采

采字君亮。

瑞鶴仙

凍痕銷夢草，又招得春歸，舊家池沼。園扉掩寒峭，倩誰將花信，遍傳深窈？追游趁早，便裁却、輕衫短帽。任殘梅、飛滿溪橋，和月醉眠清曉。　年小，青絲纖手，彩勝嬌鬟，賦情誰表？南樓信杳，江雲重，雁歸少。記銜香嘶馬，流紅回岸，幾度緑楊殘照。想暗黄、依舊東風，灞陵古道。

玉漏遲

絮花寒食路，晴絲罥日，綠陰吹霧。客帽欺風，愁滿畫船烟浦。彩柱鞦韆散後，悵塵鎖、燕簾鶯户。從間阻，夢雲無準，鬢霜如許。　夜永綉閣藏嬌，記掩扇傳歌，剪燈留語。月約星期，細把花鬚頻數。彈指一襟幽恨，謾空趁、啼鵑聲訴。深院宇，黄昏杏花微雨。

法曲獻仙音

花匣幺弦，象奩雙陸，舊日留歡情意。夢到銀屏，恨裁蘭燭，香篝夜闌鴛被。料燕子重來地，桐陰鎖窗綺。　倦梳洗，暈芳鈿、自羞鸞鏡，羅袖冷、烟柳畫闌半倚。淺雨壓荼蘼，指東風、芳事餘幾？院落黄昏，怕春鶯、驚笑憔悴。倩柔紅約定，喚取玉簫同醉。

好事近

人去玉屏閑，逗曉柳絲風急。簾外杏花細雨，罥春紅愁濕。　單衣初試麯塵羅，中酒病無力。應是綉床慵困，倚鞦韆斜立。

二郎神

露床轉玉，喚睡醒、綠雲梳曉。正倦立銀屏，新寬衣帶，生怯輕寒料峭。悶絶相思無人問，但怨入、墻陰啼鳥。嗟露屋鎖春，晴風喧晝，柳輕梅小。　人悄，日長謾憶，鞦韆嘻笑。悵燼冷爐薰，花深鶯静，簾箔微紅醉裊。帶結留詩，粉痕銷帕，情遠竊香年少。凝恨極，盡日憑高目斷，淡烟芳草。

玉樓春

東風破曉寒成陣，曲鎖沉香簧語嫩。鳳釵敲枕玉聲圓，羅袖拂屏金縷褪。　雲頭雁影占來信，歌底眉尖縈淺暈。淡烟疏柳一簾春，細雨遥山千疊恨。

《詞旨·屬對》：花匣幺弦，象奩雙陸。（法曲獻仙音）珠䖙花輿，翠翻簾額。污粉難融，袖香新竊。

《詞眼》：月約星期。

奚減

減字倬然，號秋崖。

芳草　南屏晚鐘

笑湖山、紛紛歌舞，花邊如夢如薰。響烟驚落日，長橋芳草外，客愁醒。天風送遠，向兩山、喚醒痴雲。猶自有、迷林去鳥，不信黃昏。　銷凝，油車歸後，一眉新月，獨印湖心。蕊宮相答處，空岩虚谷應，猿語香林。正酣紅紫夢，便市朝、有耳誰聽？　怪玉兔、金烏不换，只换愁人。

董嗣杲《西湖百咏》注云：南屏山，在興教寺後，舊多摩崖，剥落之餘，止存司馬温公隸書『家人卦』、米元章書『琴臺』二字。東坡《訪僧臻》詩云：『我識南屏金鯽魚，重來撫檻散齋餘。』今寺非昔比，山則蒼翠自若。

華胥引　中秋紫霞席上

澄空無際，一幅輕綃，素秋弄色。剪剪天風，飛飛萬里，吹浄遥碧。想玉杵芒寒，聽珮環無迹。圓缺何心，有心偏向歌席。多少情懷，甚年年、共憐今夕。蕊宫珠殿，還吟飄香秀筆。隱約《霓裳》聲度，認紫霞樓笛。獨鶴歸來，更無清夢成覓。

《癸辛雜識》：賈秋壑八月八日生辰，四方善頌者以數千計，悉俾翹館謄考，第其甲乙。四方傳誦，爲之紙貴。奚倬然有《齊天樂》云：『金飈吹浄人間暑，連朝弄涼新雨。萬寶功成，無人解得，秋入天機深處。閑中自數，幾心酌乾坤，手斟霜露。護了山河，共看元影在銀兔。而今神仙正好，向青空覓個，冲澹襟宇。常念群生，如何便肯，從我乘風歸去。夷游洞府，把月杼雲機，教他兒女。水逸山明，此情天付與。』

趙聞禮

聞禮字立之，號釣月。

千秋歲

鶯啼晴晝，南國春如綉。飛絮眼，凭闌袖。日長花片落，睡起眉山鬥。無個事，沉烟一縷騰金獸。　千里空回首，兩地厭厭瘦。春去也，歸來否？五更樓外月，雙燕門前柳。人不見，鞦韆院落清明後。

魚游春水

青樓臨遠水，樓上東風飛燕子。玉鈎珠箔，密密鎖紅關翠。剪勝裁旛春日戲，簇柳簪花元夜醉。閑憶舊歡，漫撩新泪。　羅帕啼痕未洗，愁見同心雙鳳翅。長安十日輕寒，春衫未試。過盡征鴻知幾許？不寄蕭郎書一紙。愁腸斷也，個人知未？

風入松

麯塵風雨亂春晴，花重寒輕。珠簾捲上還重下，怕東風、吹散歌聲。棋倦杯頻晝永，粉香花艷清明。　十分無處著閑情，來覓娉婷。薔薇誤罥尋春袖，倩柔荑、爲補香痕。苦恨啼鵑驚夢，何時剪燭重盟？

水龍吟　水仙花

幾年埋玉藍田，緑雲翠水烘春暖。衣薰麝馥，襪羅塵沁，凌波步淺。鈿碧搔頭，膩黃冰腦，參差難剪。乍聲沉素瑟，天風佩冷，蹁

躚舞、《霓裳》遍。　湘浦盈盈月滿，抱相思、夜寒腸斷。含香有恨，招魂無路，瑤琴寫怨。幽韵凄涼，暮江空渺，數峰清遠。粲迎風一笑，持花酹酒，結南枝伴。

隔浦蓮近

愁紅飛眩醉眼，日淡芭蕉捲。帳掩屏香潤，楊花撲、春雲暖。啼鳥驚夢遠，芳心亂，照影收奩晚。　畫眉懶，微醒帶困，離情中酒相半。裙腰粉瘦，怕按《六幺》歌板。簾捲層樓探舊燕，腸斷。花枝和悶重拈。

賀新郎　螢

池館收新雨，耿幽叢、流光幾點，半侵疏户。入夜凉風吹不滅，冷焰微茫暗度。碎影落、仙盤秋露。漏斷長門空照泪，袖紗寒、映竹無心顧。孤枕掩，殘燈炷。　練囊不照詩人苦。夜沉沉、拍手相親，呆兒痴女。欄外撲來羅扇小，誰在風廊笑語。競戲踏、金釵雙股。故苑荒凉悲舊賞，悵寒蕪衰草隋宫路。同磷火，遍秋圃。

《詞旨·警句》：珠簾捲上還重下。

施　岳

岳字仲山，號梅川。《武林舊事》云：施梅川，吴人。精於律吕。其卒也，楊守齋爲樹梅作亭，薛梯飈爲志其墓，李篔房書，周草窗題蓋，葬於西湖虎頭岩下。

沈義甫云：梅川音律有源流，故其聲無舛誤；讀唐詩多，故語雅淡。

水龍吟

翠鰲涌出滄溟，影横棧壁迷烟墅。樓臺對起，欄杆重凭，山川自古。梁苑平蕪，汴堤疏柳，幾番晴雨。看天低四遠，江空萬里，登臨處、分吴楚。　兩岸花飛絮舞，度春風、滿城簫鼓。英雄暗老，昏潮曉汐，歸帆過櫓。淮水東流，塞雲北渡，夕陽西去。正凄凉望極，中原路杳，月來南浦。

清平樂

水遥花暝，隔岸炊烟冷。十里垂楊摇嫩影，宿酒和愁都醒。（原本云此下缺六首）

解語花

雲容冱雪，暮色添寒，樓臺共臨眺。翠叢深窅，無人處、數蕊弄春猶小。幽姿謾好，遥相望、含情一笑。花解語、因甚無言？心事應難表！　莫待墻陰暗老，稱琴邊月夜，笛裏霜曉。護香須早，東風度、咫尺畫闌瓊沼。歸來夢繞，歌雲墜、依然驚覺。想恁時，小几銀屏冷未了。

蘭陵王

柳花白，飛入青烟巷陌。憑高處、愁鎖斷橋，十里東風正無力。西湖路咫尺，猶阻仙源信息。傷心事、還似去年，中酒懨懨度寒食。　閑窗掩春寂，但粉指留紅，茸唾凝碧。歌塵不散蒙香澤。念鸞孤金鏡，雁空瑶瑟，芳時凉夜盡怨憶。夢魂省難覓。　鱗鴻，渺踪迹，縱羅帕親題，錦字誰織？緘情欲寄重城隔。又流水斜照，倦簫殘笛。樓臺相望，對暮色，恨無極。

曲游春

清明湖上

畫舸西泠路，占柳陰花影，芳意如織。小楫衝波，度麯塵扇底，粉香簾隙。岸轉斜陽隔，又過盡、别船簫笛。傍斷橋，翠繞紅圍，相對半篙晴色。　頃刻，千山暮碧，向沽酒樓前，猶繫金勒。乘月歸來，正梨花夜縞，海棠烟冪。院宇明寒食，醉乍醒、一庭春寂。任滿身露濕東風，欲眠未得。

步月　茉莉

玉宇薰風，寶階明月，翠叢萬點晴雪。煉霜不就，散廣寒霏屑。採珠蓓、緑萼露滋，嗔銀艷、小蓮冰潔。花魂在，纖指嫩痕，素英重結。　枝頭香未絶，還是過中秋，丹桂時節。醉鄉冷境，怕翻成消歇。玩芳味、春焙旋熏，貯穠韵、水沉頻爇。堪憐處，輸與夜涼睡蝶。

弁陽老人原注云：茉莉，嶺表所産，古今咏者不甚多，文公曾咏二絶句，鄉道鄉亦曾題咏。此篇『小蓮冰潔』之句，狀茉莉最佳。此花四月開，直至桂花時尚有。『玩芳味』，古人用此花焙茶，故云。

《詞旨·屬對》：竹深水遠，臺高石出。香茸沾袖，粉甲留痕。就船換酒，隨地攀花。

錢唐汪　沆
陳　皋同校勘

絶妙好詞箋卷四終

絶妙好詞箋卷五

弁陽老人周密原輯

宛平查爲仁　錢唐厲鶚　同箋

陳允平

允平字君衡，一字衡仲，四明人。著有《西麓詩稿》一卷、《繼周集》一卷、《日湖漁唱》二卷。

張叔夏云：詞欲雅而正，志之所之；一爲物役，則失其雅正之音。近代陳西麓所作，平正亦有佳者。

絳都春

鞦韆倦倚，正海棠半坼，不奈春寒。殢雨弄晴，飛梭庭院綉簾閑。梅妝欲試芳情懶，翠顰愁入眉彎。霧蟬香冷，霞綃泪揾，恨襲湘蘭。　悄悄池臺步晚，任紅醺杏靨，碧沁苔痕。燕子未來，東風無語又黃昏。琴心不度香雲遠，斷腸難托啼鵑。夜深猶倚，垂楊二十四闌。

《日湖漁唱》自注云：舊上聲韵，今改平聲。

瑞鶴仙

燕歸簾半捲，正漏約瓊籤，笙調玉琯。蛾眉畫來淺，甚春衫懶試，夜燈慵剪。香温夢暖，訴芳心、芭蕉未展。眇雙波、望極江空，二十四橋凭遍。　葱蒨，銀屏彩鳳，霧帳金蟬，舊家坊院。烟花弄晚，芳草恨，斷魂遠。對東風無語，緑陰深處，時見飛紅數片。算多情、尚有黃鸝，向人睍睆。

思佳客

錦幄沉沉寶篆殘，惜春無語倚欄杆。庭前芳草空惆悵，簾外飛花自往還。　金屋静，玉簫閑，一樽芳酒駐紅顔。東風落盡酴醾雪，滿地清香夜不寒。

戀綉衾

多情無語斂黛眉，寄相思、偏仗柳枝。待折向、樽前唱，奈東風、吹作絮飛。　歸來醉抱琵琶睡，正酒醒、香盡漏移。無賴是、梨花夢，被月明、偏照翠帷！

唐多令

休去采芙蓉，秋江烟水空。帶斜陽、一片征鴻。欲頓閑愁無頓處，都著在，兩眉峰。　心事寄題紅，畫橋流水東。斷腸人、無奈秋濃。回首層樓歸去懶，早新月，挂梧桐。

滿江紅

和清真韵

目斷烟江，相思字、難憑雁足。從别後、翠眉慵嫵，素腰如束。困倚牙床春綉懶，釧金斜隱香腮肉。晝漸長、誰與對文枰，翻新局？　枝上鵲，心期卜；芳草暗，西厢曲。謝多情海燕，伴愁華屋。明月空圓雙蝶夢，彩雲難駐孤鸞宿。任晝簾、不捲玉鈎閑，楊花撲。

秋蕊香

晚酌宜城酒暖，玉軟嫩紅潮面。醉中窈窕度嬌眼，不識愁深愁淺。　綉窗一縷香絨綫，繫雙燕。海棠滿地夕陽遠，明月笙歌別院。

一落索

欲寄相思愁苦，倩流紅去。泪花寫不斷離懷，都化作、無情雨！　渺渺暮雲江樹，淡烟横素。六橋飛絮夕陽西，盡總是、春歸處。

垂楊

銀屏夢覺，漸淺黄嫩緑，一聲鶯小。細雨輕塵，建章初閉東風悄。依然千樹長安道，翠雲鎖、玉窗深窈。斷腸人、空倚斜陽，帶

舊愁多少。　還是清明過了，任烟縷露條，碧纖青裊。恨隔天涯，幾回惆悵蘇堤曉。飛花滿地誰爲掃？　甚薄倖、隨波縹緲。縱啼鵑、不喚春歸，人自老。

《詞旨·警句》：燕子未來，東風無語又黄昏。琴心不度春雲遠，斷腸難托啼鵑。夜深猶倚，垂楊二十四闌。（絳都春）寄相思、偏仗柳枝。待折向、樽前唱，怕東風、吹作絮飛。（戀綉衾）

《日湖漁唱·齊天樂·澤國樓偶賦》云：湖光偶在闌干外，凭虚遠迷三楚。舊柳猶青，平蕪自碧，幾度朝昏烟雨。天涯倦旅，愛小却游鞭，共揮談麈。頓覺塵清，宦情高下等風絮。芝山蒼翠縹緲，黯然仙夢杳，吟思飛去。故國樓臺，斜陽巷陌，回首白雲何處？　無心訪古，對雙塔栖鴉，半汀歸鷺。立盡荷香，月明人笑語。**《綺羅香·秋雨》**云：　雁宇蒼寒，蛩疏翠冷，又是淒凉時候。小揭珠簾，衣潤唾花羅皺。饒曉鷺、獨立衰荷，溯歸燕、尚栖殘柳。想黄花、羞澀東籬，斷無新句到重九。孤檠清夢易覺，腸斷唐宫舊事，聲迷宫漏。滴入愁心，秋似玉樓人瘦。烟檻外、催下梧桐，帶西風、亂捎鴛甃。記畫檐、燈影沉沉，共裁春夜韭。

張炎《山中白雲·解連環·拜陳西麓墓》云：　句章城郭，問千年往事，幾回歸鶴。嘆貞元、朝士無多，又日冷湖陰，柳邊門

鑰。向北來時，無處認、江南花落。縱荷衣未改，病損茂陵，終是蕭索。山中故人去却，但碑寒峴首，舊景如昨。悵二喬、空老春深，正歌斷簾空，草昏銅雀。楚魄難招，被萬疊、閑雲迷著。料應是、聽風聽雨，朗吟夜壑。**原注**：山中樓扁『萬疊雲』。

張樞

樞字斗南，號寄閑，西秦人，居臨安。循王之後。善詞名世。子炎，能傳其家學，見鄧牧《伯牙琴》。

瑞鶴仙

捲簾人睡起，放燕子歸來，商量春事。風光又能幾？減芳菲、都在賣花聲裏。吟邊眼底，披嫩緑、移紅換紫。甚等閑、半委東風，半委小溪流水。　還是，苔痕湔雨，竹影留雲，待晴猶未。蘭舟靜艤，西湖上、多少歌吹。粉蝶兒、守定落花不去，濕重尋香兩翅。怎知人、一點新愁，寸心萬里。

風入松

春寒懶下碧雲樓，花事等閑休。紅綿濕透鞦韆索，記伴仙、曾倚嬌柔。重疊黄金約臂，玲瓏翠玉搔頭。　熏爐誰熨暖衣篝，消遣酒醒愁。舊巢未著新來燕，任珠簾、不上瓊鈎。何處東風院宇，數聲揭調《甘州》。

南歌子

柳户朝雲濕，花窗午篆清。東風未放十分晴，留戀海棠顏色過清明。　壘潤栖新燕，籠深鎖舊鶯。琵琶可是不堪聽，無奈愁人把做斷腸聲！

謁金門

春夢怯，人静玉閨平帖。睡起眉心端正貼，綽枝雙杏葉。　重整金泥蹀躞，紅皺石榴裙褶。款步花陰尋蛱蝶，玉纖和粉捻。

慶宫春

斜日明霞，殘虹分雨，軟風淺掠蘋波。聲冷瑶笙，情疏寶扇，酒醒無奈秋何。彩雲輕散，漫敲缺、銅壺浩歌。眉痕留怨，依約遠峰，學斂雙蛾。　銀床露洗涼柯，屏掩香銷，忍掃裀羅。楚驛梅邊，吴江楓畔，庾郎從此愁多。草蟲喧砌，料催織、迴文鳳梭。相思遥夜，簾捲翠樓，月冷星河。

壺中天

月夕登繪幅堂，與篔房各賦一解。

雁横迥碧，漸烟收極浦，漁唱催晚。臨水樓臺乘醉倚，雲引吟情閑遠。露脚飛涼，山眉鎖暝，玉宇冰奩滿。平波不動，桂華底印清淺。　應是瓊斧修成，鉛霜搗就，舞《霓裳》曲遍。窈窕西窗誰弄影，紅冷芙蓉深苑。賦雪詞工，留雲歌斷，偏惹文簫怨。人歸鶴唳，翠簾十二空捲。

周密《蘋洲漁笛譜·瑞鶴仙·湖上繪幅堂》云：翠屏圍晝錦，正柳織烟綃，花明春鏡。層欄幾回凭，看六橋烟曉，兩堤鷗暝。晴嵐隱隱，映金碧、樓臺遠近。謾曾詩、萬幅丹青，畫筆畫應難盡。那更，波涵月影，露裛蓮妝，水描梅影。調朱弄粉，憑誰寫，四時景？問玉奩西子，山眉波盼，多少濃施淡暈？　算何如、付與吟翁，緩吟細品？　**按**弁陽詞，繪幅堂在湖上。考《武林舊事》諸書不載，始末未詳。

《詞旨·屬對》：金谷移春，玉壺貯暖。擁石池臺，約花闌檻。

《警句》：甚等閑、半委東風，半委小溪流水。（瑞鶴仙）粉蝶兒、守定落花不去，濕重尋香兩翅。（同上）雲引吟情閑遠。（壺中天）

《詞眼》：移紅換紫。

陳允平《日湖漁唱·木蘭花慢·和李篔房題張寄閑家圃韵》云：愛吟休問瘦，爲詩句，幾憑闌。有可畫亭臺，宜春帳箔，如寄身閑。胸中四時勝景，小蓬萊、幻出五雲間。一掬蘋香暗沼，半梢松影虛壇。相看，倦羽久知還，回首鷺盟寒。記步屧尋雲，呼燈聽雨，越嶺吴巒。幽情未應共懶，把周郎、舊曲譜新翻。簾外垂楊自舞，爲君時按弓彎。

李演

演字廣翁，號秋堂。有《盟鷗集》。

摸魚兒 太湖

又西風、四橋疏柳，驚蟬相對秋語。瓊荷萬笠花雲重，裊裊紅衣如舞。鴻北去，渺岸芷汀芳，幾點斜陽宇。吴亭舊樹。又繫我扁舟，漁鄉釣里，秋色淡歸鷺。

長干路，草莽疏烟斷墅，商歌如寫羈旅。丹溪翠岫登臨事，苔屐尚黏蒼土。鷗且住，怕月冷吟魂，婉冉空江暮。明燈暗浦。更短笛銜風，長雲弄晚，天際畫秋句。

聲聲慢 問梅孤山

輕䡖綉谷，柔屐烟堤，六年遺賞新續。小舫重來，惟有寒沙鷗熟。徘徊舊情易冷，但溶溶、翠波如縠。愁望遠，甚雲銷月老，暮山自緑。

嚬笑人生悲樂，且聽我樽前，漁歌樵曲。舊閣塵封，長得樹陰如屋。凄涼五橋歸路，載寒秀、一枝疏玉。翠袖薄，晚無言、空倚修竹。

《遂昌雜録》云：錢唐湖上，舊多行樂處。西太乙宫、四聖觀，皆在孤山。西太乙成後，西出斷橋，夾蘇公堤皆植花柳，時時有小亭館可憩。官有景福之門，迎真之館，黄庭之殿。結構之巧，丹雘之麗，真擅蓬萊道山之勝。余童時，尚記孤山之陰一小亭，在高阜上，曰『歲寒』。繚亭皆古梅，下臨水，曰『挹翠閣』。上下皆栱斗砌成，極爲宏麗。

醉桃源 題小扇

雙鴛初放步雲輕，香簾燕未晴。杏熔暗泪結紅冰，留春蝴蝶情。寒薄薄，日陰陰，錦鳩花底鳴。春懷一似草無憑，東風吹又生。

南鄉子 夜宴燕子樓

芳水戲桃英，小滴燕支浸緑雲。待覓瓊觚藏彩信，流春，不似題紅易得沉。天上許飛瓊，吹下蓉笙染玉塵。可惜素鸞留不得，更深，誤剪燈花斷了心！

八六子 次篔房韵

乍鷗邊、一番腴緑，流紅又怨蘋花。看晚吹、約晴歸路，夕陽分落漁家。輕雲半遮。縈情芳草無涯。還報舞香一曲，玉瓢幾許春華。正細柳青烟，舊時芳陌，小桃朱户，去年人面，誰知此日重來繫馬，東風淡墨欹鴉。黯窗紗，人歸緑陰自斜。

祝英臺近 次篔房韵

采芳蘋，縈去櫓，歸步翠微雨。柳色如波，縈恨滿烟浦。東君若是多情，未應花老，心已在、緑成陰處。　困無語，柔被褰損梨雲，閑修牡丹譜。妒粉争香，雙燕爲誰舞。年年紅紫如塵，五橋流水，知送了、幾番愁去？

莫崙

崙字子山，號兩山，江都人。寓家丹徒。度宗咸淳四年陳文龍榜進士，見《正德丹徒縣志》。

水龍吟

鏡寒香歇江城路，今度見春全懶。斷雲過雨，花前歌扇，梅邊酒盞。離思相欺，萬絲縈繞，一襟銷黯。但年光暗換，人生易感，西歸水、南飛雁。　也擬與愁排遣，奈江山、遮攔不斷。嬌訛夢語，瀠熒啼袖，迷心醉眼。綉轂華裀，錦屏羅薦，何時拘管？但

良宵空有，亭亭霜月，作相思伴。

玉樓春

緑楊芳徑鶯聲小，簾幕烘香桃杏曉。餘寒猶峭雨疏疏，好夢自驚人悄悄。　憑君莫問情多少，門外江流羅帶繞。直饒明日便相逢，已是一春閑過了！

生查子

三兩信凉風，七八分圓月。愁緒到今年，又與前年別。　衾單容易寒，燭暗相將滅。欲識此時情，聽取鳴蛩説。

卜算子

紅底過絲明，緑外飛綿小。不道東風上海棠，白地春歸了。月笛曲欄留，露舄芳池繞。争得閑情似舊時，遍索檐花笑。

《詞旨·警句》： 但良宵空有，亭亭霜月，作相思伴。（水龍吟）

丁宥

宥字基仲，號宏庵。

水龍吟

雁風吹裂雲痕，小樓一綫斜陽影。殘蟬抱柳，寒蛩入户，凄音忍聽。愁不禁秋，夢還驚客，青燈孤枕。未更深早是，梧桐泫露，那更度、蘭宵永。 空嘆銀屏金井，醉鄉醒、温柔鄉冷。征塵倦撲，閑花謾舞，何心管領！ 葱指冰弦，蕙懷春錦，楚梅風韵。悵芙蓉城杳，藍雲依黯，鎖巫峰暝。

吴文英《夢窗甲稿·高山流水·丁基仲側室善絲桐賦咏，曉達音律，備歌舞之妙》云： 素弦一一起秋風，寫柔情、都在春葱。徽外斷腸聲，霜霄暗落驚鴻。低顰處、剪緑裁紅。仙郎伴、新製還賡舊曲，映月簾櫳。似名花并蒂，日日醉春濃。吴中。空傳有西子，應不解、换徵移宫。蘭蕙滿襟懷，唾碧總噴花茸。後堂深、想費春工。客愁重、時聽蕉寒雨碎，泪濕瓊鍾。恁風流也稱，金屋貯嬌慵。**按**基仲《水龍吟》『葱指冰弦，蕙懷春錦』，又云『悵芙蓉城杳』，當是悼其側室而作，觀夢窗詞可證也。

《詞旨·屬對》： 疏綺籠寒，淺雲栖月。蟬碧句花，雁紅攢月。

《警句》： 雁風吹裂雲痕，小樓一綫斜陽影。（水龍吟）清陰一架，顆顆蒲萄醉花碧。（六幺令）

儲泳

泳字文卿，號華谷，雲間人。著《華谷祛疑説》。

齊天樂

東風一夜吹寒食，紅片枝頭猶戀。宿酒初醒，新吟未穩，凭久欄杆留暖。將春買斷，恨苔徑榆階，翠錢難貫。陌上鞦韆，相逢難認舊時伴。

輕衫粉痕褪了，絲緣餘夢在，良宵偏短。柳綫穿烟，鶯梭織霧，一片舊愁新怨。慵拈象管，待寄與深情，怎憑雙燕。不似楊花，解隨人去遠。

趙汝迕

汝迕字叔午，一作叔魯，號寒泉，樂清人。登嘉定進士，僉判雷州，謫官而卒。**《宋史·宗室世系表》**：商王元份八世孫，善圻第三子。

清平樂

初鶯細雨，楊柳低愁縷。烟浦花橋如夢裏，猶記倚樓別語。

小屏依舊圍香，恨抛薄醉殘妝。判却寸心雙泪，爲他花月凄凉。

樓扶

扶字叔茂，號梅麓。**《景定建康志》云**：樓扶，端平中沿江制置司幹官。**《泰州志》云**：淳祐間，知泰州軍事。**《延祐四明志》云**：靈應廟，鄞人樓扶爲記。

水龍吟　次清真梨花韵

素娥洗盡繁妝，夜深步月鞦韆地。輕腮暈玉，柔肌籠粉，緇塵斂避。霽雪留香，曉雲同夢，昭陽宮閉。悵仙園路杳，曲欄人寂，疏雨濕、盈盈泪。未放游蜂葉底，怕春歸、不禁狂吹。象床困倚，冰魂微醒，鶯聲喚起。愁對黄昏，恨催寒食，滿襟離思。想千紅過盡，一枝獨冷，把梅花比。

菩薩蠻

絲絲楊柳鶯聲近，晚風吹過鞦韆影。寒色一簾輕，燈殘夢不成。
耳邊消息在，笑指花梢待。又是不歸來，滿庭花自開。

《延祐四明志》：招寶山，宋梅麓樓公扶《登山·沁園春》云：『開闢以來，便有此山，獨當怒濤。正秋空萬里，寒催雁信；塵寰一簇，輕算鴻毛。小可詩情，尋常酒量，到此應須分外豪。難爲水，笑平生未有，此番登高。飄飄，身踏金鰲，嘆終日、風波無限勞。看檣烏縹緲，帆歸遠浦；塵魚雜沓，網帶餘潮。待約詩人，相將月夜，取次携杯持酒螯。乘槎意，問誰人領解，空立亭皋？』詞鐫崖石，今不存。

史介翁

介翁字吉父，號梅屋。

菩薩蠻

柳絲輕颺黄金縷，織成一片紗窗雨。門合做春愁，困慵熏玉篝。
暮寒羅袖薄，社雨催花落。先自爲詩忙，薔薇一陣香。

周端臣

端臣字彦良，號葵窗。《武林舊事》云：御前應制。

木蘭花慢 送人之官九華

靄芳陰未解，乍天氣、過元宵。訝客袖猶寒，吟窗易曉，春色無聊。梅梢，尚留顧藉，滯東風、未肯雪輕飄。知道詩翁欲去，遞香要送蘭橈。　清標，會上叢霄，千里阻，九華遥。料今朝別後，他時有夢，應夢今朝。河橋，柳愁未醒，贈行人、又恐越魂銷。留取歸來繫馬，翠長千縷柔條。

《方輿勝覽》云：九華山，在池州青陽縣界，舊名九子山，李白以峰如蓮花，改名九華。

玉樓春

華堂簾幕飄香霧，一搦楚腰輕束素。翩躚舞態燕還驚，綽約妝容花盡妒。　樽前謾詠《高唐賦》，巫峽雲深留不住。重來花畔倚欄杆，愁滿欄杆無倚處。

楊子咸

子咸號學舟。

木蘭花慢　雨中荼蘼

紫凋紅落後，忽十丈、玉虬橫。望衆緑幃中，藍田璞碎，鮫室珠傾。柔條繫風無力，更不禁、連日峭寒清。空與蝶圓香夢，枉教鶯訴春情。　深深，苔徑悄無人，欄檻濕香塵。嘆寶髻鬔鬆，粉鉛狼藉，誰管飄零。不愁素雲易散，恨此花、開後更無春。安得胡床月夜，玉醅滿蘸瑶英。

楊恢

恢字充之，號西村，眉山人。

二郎神 用徐幹臣韵

瑣窗睡起，閑伫立、海棠花影。記翠楫銀塘，紅牙《金縷》，杯泛梨花冷。燕子銜來相思字，道玉瘦、不禁春病。應蝶粉半銷，鴉雲斜墜，暗塵侵鏡。

還省，香痕碧唾，春衫都凝。悄一似荼蘼，玉肌翠帔，消得東風喚醒。青杏單衣，楊花小扇，閑却晚春風景。最苦是，蝴蝶盈盈弄晚，一簾風静。

《揮麈餘話》云：徐伸，字幹臣，三衢人。政和初，以知音律爲太常典樂，出知常州。嘗自製《轉調二郎神》云：『悶來彈鵲，又攪碎、一簾花影。謾試著春衫，還思纖手，薰徹金虬燼冷。動是愁端如何向，但怪得、新來多病。嗟舊日沈腰，如今潘鬢，怎堪臨鏡？ 重省，别時泪滴，羅襟猶凝。想爲我厭厭，日高慵起，長托春酲未醒。雁足不來，馬蹄難駐，門掩一庭芳景。空伫立、盡日闌干倚遍，晝長人静。』既成，會開封尹李孝壽來牧吴門，李以嚴治京兆，號『李閻羅』。道出郡下，幹臣大合樂燕勞之，喻群娼，令謳此詞，必待其問乃止。娼如戒，歌至三四，李果詢之。幹臣蹙頞云：『某頃有一侍婢，色藝冠絶，前歲以亡室不容，逐去。今聞在蘇州一兵官處，屢遣信，欲復來，而今之主公靳之，感慨賦此。詞中所叙，多其書中語。適有天幸，公擁麾於彼，不審能爲我致之否？』李云：『此甚不難，可無慮也。』既次無錫，賓贊者請受謁次第，李云：『郡官當至楓橋。』橋距城十里而遠，翌日艤舟其所，官吏上下，望風股栗。李一閲刺字，忽大怒云：『都監在法不許出城，乃亦至此，使郡中萬一有火盗之虞，豈不殆哉？』斥都監下階，荷校送獄。又數日，取其供牘，判『奏』字。其家震懼求援，宛轉哀鳴致懇，李笑云：『且還徐典樂之妾了來理會。』兵官者解其指，即日承命，然後舍之。

倦尋芳

錫簫吹暖，蠟燭分烟，春思無限。風到楝花，二十四番吹遍。烟濕濃堆楊柳色，晝長閑墜梨花片。悄簾櫳，聽幽禽對語，分明如剪。

記舊日、西湖行樂，載酒尋春，十里塵軟。背後腰肢，仿佛畫圖曾見。宿粉殘香隨夢冷，落花流水和天遠。但如今，病厭厭，海棠池館。

滿江紅

小院無人，正梅粉、一階狼藉。疏雨過、溶溶天氣，早如寒食。啼鳥驚回芳草夢，峭風吹淺桃花色。漫玉爐、沉水熨春衫，花痕碧。　緑縠水，紅香陌；紫桂棹，黄金勒。悵前歡如夢，後游何日？　酒醒香消人自瘦，天空海闊春無極。又一林、新月照黄昏，梨花白。

祝英臺近

宿醒蘇，春夢醒，沉水冷金鴨。落盡桃花，無人掃紅雪。漸催煮酒園林，單衣庭院，春又到、斷腸時節。　恨離別！　長憶人立荼蘼，珠簾捲香月。幾度黄昏，瓊枝爲誰折？　都將千里芳心，十年幽夢，分付與、一聲啼鴂。

又　仲秋

月如冰，天似水，冷浸畫欄濕。桂樹風前，醲香半狼藉。此翁對此良宵，別無可恨，恨只恨、古人頭白。　洞庭窄，誰道臨水樓臺，清光最先得？　萬里乾坤，元無片雲隔。不妨彩筆雲箋，翠尊冰醞，自管領、一庭秋色。

八聲甘州

摘青梅薦酒，甚殘寒、猶怯苧蘿衣。正柳腴花瘦，綠雲冉冉，紅雪霏霏。隔屋秦箏依約，誰品春詞？回首繁華夢，流水斜暉。 寄隱孤山山下，但一瓢飲水，深掩苔扉。羨青山有思，白鶴忘機。悵年華、不禁搔首，又天涯、彈淚送春歸。銷魂遠，千山啼鴂，十里荼蘼。

《詞旨·警句》：燕子銜來相思字，道玉瘦、不禁春病。（二郎神）宿粉殘香隨夢冷，落花流水和天遠。（倦尋芳）都將千里芳心，十年幽夢，分付與、一聲啼鴂。（祝英臺近）不妨彩筆雲箋，翠尊冰醞，自管領、一庭秋色。（祝英臺近）

《浯溪集》：眉山楊恢《二郎神·游浯溪》詞云：『碧崖倒影，浸一片、寒江如練。正岸岸梅花，村村修竹，喚醒春風筆硯。溯水舟輕輕如葉，只消得、溪風一箭。看水部雄文，太師健筆，月寒波卷。游倦，片雲孤鶴，江湖都遍。慨金屋藏妖，綉

屏包禍，欲與三郎痛辨。回首前朝，斷魂殘照，幾度山花崖蘚。無限都付宂尊，漠漠水天遠。』**按**此詞甚佳，惜不著調名。

柴望《凉州鼓吹·祝英臺近·丁巳暮春訪楊西村，湖上懷舊》云：小船兒，雙去櫓，紅濕海棠雨。燕子歸時，芳草暗南浦。自從翠袖香銷，明璫聲斷，怕回首、舊尋芳處。向誰語？可憐金屋無人，冷落鳳簫譜。翠入菱花，蛾眉爲誰嫵。斷腸明月天涯，春風海角，恨不做、楊花飛去。

何光大

光大字謙履，號半湖。

謁金門

天似水，池上藕花風起。隔岸垂楊青到地，亂螢飛又止。 露濕玉闌閑倚，人靜自生凉意。泛碧沉朱供晚醉，月斜纔去睡。

趙溍

溍字元晉，號冰壺，潭州人。忠靖公葵子。咸淳中沿江制置使，知建康府。《宋季三朝政要》云：廣王登極於福州，改元景炎，以趙溍爲江西制置使，進兵邵武。《山房隨筆》云：趙靜齋淮被執政於瓜洲，其兄冰壺溍自京口遷金陵，北兵至，棄家而遁，南徙不返，死葬海旁山上。

臨江仙 西湖春泛

堤曲朱墻近遠，山明碧瓦高低。好風二十四花期，驕驄穿柳去，文艦挾春飛。 簫鼓晴雷殷殷，笑歌香霧霏霏。閑情不受酒禁持，斷腸無立處，斜日欲歸時。

吴山青 水仙

金璞明，玉璞明，小小杯柈翠袖擎。滿將春色盛。 仙珮鳴，

玉珮鳴，雪月花中過洞庭。此時人獨清。

趙淇

淇字元建，葵次子。宋末，直龍圖閣廣南東路發運使，加右文殿修撰尚書、刑部侍郎。元至元間，行省承制，署廣東宣撫使；入見世祖，拜湖南道宣慰使。卒贈湖廣行省參知政事，追封天水郡公，謚文惠。有文集二十卷。《圖繪寶鑒》云：趙淇，號平遠，又號太初道人，故合而曰平初，又號靜華翁。

謁金門

吟望直，春在欄杆咫尺。山插玉壺花倒立，雪明天混碧。 曉露絲絲瓊滴，虛揭一簾雲濕。猶有殘梅黄半壁，香隨流水急。

《詞旨·警句》：春在闌干咫尺。（謁金門）

毛珝

珝字元白，號吾竹，柯山人。有《吾竹小稿》一卷。

浣溪紗　桂

綠玉枝頭一粟黄，碧紗帳裏夢魂香，曉風和月步新涼。　吟倚畫欄懷李賀，笑持玉斧恨吴剛，素娥不嫁爲誰妝？

潘希白

希白字懷古，號漁莊，永嘉人。寶祐中登第，幹辦臨安府節制司公事。德祐中起史館檢校，不赴。

大有　九日

戲馬臺前，採花籬下，問歲華、還是重九。恰歸來、南山翠色依舊。簾櫳昨夜聽風雨，都不似、登臨時候。一片宋玉情懷，十分衛郎清瘦。

紅萸佩，空對酒。砧杵動微寒，暗欺羅袖。秋已無多，早是敗荷衰柳。强整帽檐攲側，曾經向、天涯搔首。幾回憶、故國蓴鱸，霜前雁後。

李珏

珏字元暉，號鶴田，吉水人。年十二通書經，召試館職，除秘書正字。批差充幹辦御前翰林司，主管御覽書籍，除閤門宣贊舍人。初領應奉，賜紫袍紅靴小金帶，一朝士寄之詩云：『上直朝朝紫禁深，歸來無事只清吟。不須更借頭銜看，便是當年李翰林。』有《雜著四集》、《錢唐百咏》行於世。年八十九而終。見《成化吉安府志》。

擊梧桐　别西湖社友

楓葉濃於染，秋正老、江上征衫寒淺。又是秦鴻過，霽烟外、寫出離愁幾點。年來歲去，朝生暮落，人似吴潮展轉。怕聽《陽關曲》，奈短笛喚起，天涯情遠。　雙屐行春，扁舟嘯晚，憶著鷗湖鶯苑。鶴帳梅花屋，霜月後、記把山扉牢掩。惆悵明朝何處，故人相望，但碧雲半斂。定蘇堤、重來時候，芳草如剪。

《都城紀勝》云：文士有西湖詩社，非其他社集之比，乃行都士夫及寓居詩人，舊多出名士。

木蘭花慢　寄豫章故人

故人知健否？又過了、一番秋。記十載心期，蒼苔茅屋，杜若芳洲。天遥夢飛不到，但滔滔、歲月水東流。南浦春波舊別，西山暮雨新愁。　吴鈎，光透黑貂裘，客思晚悠悠。更何處相逢，殘更聽雁，落日呼鷗。滄江白雲無數，約他年、攜手上扁舟。鴉陣不知人意，黄昏飛向城頭。

利登

登字履道，號碧澗，金川人。著有《骳稿》一卷。

風入松

斷蕪幽樹際烟平，山外更山青。天南海北知何極，年年是、匹馬孤征。看盡好花結子，暗驚新笋成林。　歲華情事苦相尋，弱雪鬢毛侵。十千斗酒悠悠醉，斜河界、白月雲心。孤鶴盡邊天闊，清猿啼處山深。

曹邍

邍字擇可，號松山。《武林舊事》云：御前應制。

玲瓏四犯　茶蘼應制

一架幽芳，自過了梅花，猶占清絶。露葉檀心，香滿萬條晴雪。肌素静洗鉛華，似弄玉、乍離瑶闕。看翠虬、白鳳飛舞，不管暮鴉啼鴂。　酒中風格天然别，記唐宫、賜尊芳冽。玉蕤唤得餘春住，猶醉迷飛蝶。天氣乍雨乍晴，長是伴、牡丹時節。夜散瓊樓宴，金鋪深掩，一庭春月。

劉瀾

瀾字養源，號江村。《瀛奎律髓》注云：劉瀾，天台人。嘗爲道士，還俗學唐詩，有所悟。干謁無成。丙子年卒。

慶宫春　重登峨眉亭感舊

春剪緑波，日明金渚，鏡光盡浸寒碧。喜溢雙蛾，迎風一笑，兩情依舊脉脉。那時同醉，錦袍濕、烏紗欹側。英游何在？滿目青山，飛下孤白。　片帆誰上天門，我亦明朝，是天門客。平生高興，青蓮一葉，從此飄然八極。磯頭緑樹，見白馬、書生破敵。百年前事，欲問東風，酒醒長笛。

瑞鶴仙　海棠

向陽看未足，更露立欄杆，日高人獨。江空佩鳴玉，問烟鬟霞臉，爲誰膏沐？情閑景淑，嫁東風、無媒自卜。鳳臺高、貪伴吹笙，驚下九天霜鵠。　紅蹙，花開不到，杜老溪莊，已公茅屋。山城水國，歡易斷，夢難續。記年時馬上，人酣花醉，樂奏開元舊曲。夜歸來、駕錦漫天，絳紗萬燭。

齊天樂 吳興郡宴遇舊人

玉釵分向金華後，回頭路迷仙苑。落翠驚風，流紅逐水，誰信人間重見。花深半面，尚歌得新詞，柳家三變。緑葉陰陰，可憐不似那時看。　劉郎今度更老，雅懷都不到，書帶題扇。花信風高，苕溪月冷，明日雲帆天遠。塵緣較短，怪一夢輕回，酒闌歌散。別鶴驚心，感時花泪濺。

張龍榮

龍榮字成子，號梅深。

摸魚兒

又吳塵、暗斑吟袖，西湖深處能浣。晴雲片片平波影，飛趁棹歌聲遠。回首喚，仿佛記、春風共載斜陽岸。輕携分短。悵柳密藏橋，烟濃斷徑，隔水語音換。　思量遍，前度高陽酒伴，離踪悲事何限！　雙峰塔露書空穎，情共暮鴉盤轉。歸思懶，悄不似、留眠水國蓮花畔。燈簾暈滿。正蠹帙重繙，沉煤半冷，風雨閉宵館。

錢唐汪　沆
陳　臯同校勘

絶妙好詞箋卷五終